¿Durante cuánto tiempo
no existió Antonia?

Eones de no existencia.

Partículas que durante miles de millones de años viajaron errantes por el espacio se convierten, por el azar o por el destino, en un cuerpo con conciencia de sí mismo, con nombre y apellido, con alegrías y tristezas, y con miedos y esperanzas.

Esa unión de partículas durará apenas noventa años. Después, un día se separarán de nuevo para volver a vagar por el universo hasta el final de los tiempos.

Visto desde la magnitud del cosmos, la vida
de Antonia no es más que un fugaz destello
en el tiempo.

Como Antonia, todos brillamos un breve
instante junto a otros destellos sobre la
negrura de la no existencia.

Por eso necesitamos saber que antes de
nosotros hubo otros.

No somos nada sin un pasado.
Lo necesitamos para sentirnos parte
de algo más grande y antiguo que
llamamos ancestros, humanidad...

Confiamos, además, en que en el futuro
habrá más como nosotros y que
perduraremos en su memoria.

Solo así esos pequeños y breves
flashazos aislados se convierten en
un haz de luz.

Y se hizo la luz

NO SE MUEVAN.

Antonia nunca entendió el proceso por el cual se crea una fotografía.

RETRATESE USTED

Lo que ocurría entre el disparo...

CLIK

...y la fotografía final era todo un misterio.

Lo que pasaba dentro del cuerpo de la cámara de aquel "minutero" era tan mágico como los espectáculos que alguna vez había visto en el teatro.

Pero ya fuese creada por la mano de Dios o por duendecillos escondidos en el interior de la cámara, la fotografía cumplía su función.

El mágico efecto de evocar instantes perdidos.

Durante la posguerra las pocas fotografías que una persona poseía retenían momentos especiales de sus vidas.

Y se convertían en sí mismas en objetos venerados.

Antonia solo se fotografió en tres ocasiones antes de cumplir los veinte años.

En una de esas fotografías está junto a su hermana Vicentita y al futuro marido de esta.

Es la típica fotografía de estudio donde los prometidos posan con sus mejores galas, mirando con fingido interés a algún punto indeterminado fuera del encuadre.

LISTO.

PUEDEN PASAR A RECOGERLA LA SEMANA QUE VIENE.

¿LUNES..., MARTES?

MARTES, POR SI ACASO.

¿PODRÍA HACER DOS COPIAS? UNA ES PARA ELLA, PARA MI HERMANA.

HACÉIS UNA GRAN PAREJA. SERÉIS MUY FELICES, ANTONIA.

Y AHORA, QUIETOS...

ANTONIA, VAMOS.

PLOP

La fotografía debió de ser tomada en 1940 o 1941.

Hacía poco que la guerra había terminado y eran tiempos difíciles para la gran mayoría de los españoles.

La guerra provocada por la sublevación de los generales golpistas había sido larga y cruel. El país estaba devastado, especialmente las zonas que habían resistido hasta el final el ataque de los insurgentes, como era el caso de Valencia.

La posguerra traía consigo una miseria sin precedentes. La población más desfavorecida moría a puñados por falta de comida y medicamentos sin que nadie hiciera nada por evitarlo.

El nuevo Gobierno se mostraba más eficaz en la represión y la venganza que en aliviar el sufrimiento de los ciudadanos.

Franco y sus generales también tenían hambre, pero de conquista. A pesar de tan desoladora situación se preparaban para arrastrar a los españoles a una nueva guerra. Su plan era tomar las colonias francesas de África, Gibraltar...

¡RECUPERAREMOS EL GRAN IMPERIO ESPAÑOL!

Esas ansias de conquista las había despertado el devenir de la contienda en Europa. Sus aliados en la guerra civil acababan de tomar París y parecía que pronto se alzarían vencedores.

Pero el osado plan de Franco necesitaba de nuevo la ayuda de Hitler, y el Führer no se decidía a apoyarlo. Le preocupaba abrir otro frente en la guerra.

POR NO HABLAR DEL COSTE QUE SUPONDRÁ ARMAR Y RECONSTRUIR ESPAÑA.

Así que, mientras Franco soñaba con recuperar el Imperio esperando un apoyo que no llegaba, los españoles intentaban tirar para delante por sí mismos como podían.

Aquel cuartito iba a ser su hogar hasta que pudieran ahorrar lo suficiente para tener su propio piso.

La familia se convirtió en un vínculo imprescindible para sobrevivir.

Y como muchos recién casados, Vicentita y su marido no tuvieron más remedio que mudarse a casa de los padres de ella.

Cada semana el marido de Vicentita le pagaba el alquiler de la habitación a su suegro.

AQUÍ TIENE, VICENTE.

Realquilar una habitación era un extra que le venía de perlas al padre de Antonia para sacar adelante a su familia.

Vicente y Carmen tenían seis hijos. Con el marido de Vicentita en casa ahora eran nueve viviendo en un modesto piso de alquiler del barrio de Ruzafa.

CARMEN

VICENTE

PACO

VICENTITA

AMPARÍN

PIPO

ANTONIA

PEPITO

En otra de las fotografías, debía ser 1948, Antonia sostiene a una niña sobre un caballo de juguete en un jardín junto al cauce del río Turia.

Era el día que la niña que cuidaba cumplía dos años.

El padre era militar y la trataba con disciplina marcial. Por muy mal pagado que estuviera y por muy mal que la tratasen Antonia nunca se atrevió a quejarse.

Para entonces la vida ya había apagado cualquier sentimiento de rebeldía que pudiera tener, y aguantaba con resignación todo lo que el destino tuviera a bien depararle.

Pero fue la otra chica del servicio, con más carácter, la que habló por las dos para pedir un aumento de sueldo.

¿PERO QUÉ OS HABÉIS CREÍDO? LO QUE PASA ES QUE SOIS UNAS HOLGAZANAS QUE NO QUIEREN TRABAJAR. ¡LARGO!

Antes de irse, Antonia sacó del marco esa fotografía y se la llevó sin que nadie la viera.

Es la que se hizo un día en la playa.

No es que quisiera guardar un recuerdo de la niña, la verdad es que no le tenía un especial cariño.

Y la tercera fotografía que tiene Antonia de esa época estuvo desaparecida un tiempo.

Por algún motivo, esa fotografía era la más importante para ella.

Pero se veía guapa en esa fotografía y quiso tenerla.

¿SEGURO QUE LO HABÉIS COGIDO TODO DE MI CASA?

TODO LO QUE NOS DIJISTE.

PUES NO ESTÁ. ¡NO ESTÁ!

¿EL QUÉ, MAMÁ?

LA FOTO.

¿QUÉ FOTO?

El Jardín del Edén

El tiempo que esa fotografía estuvo perdida Antonia se lo pasó cabizbaja y de mal humor.

YA ESTAMOS AQUÍ.

¿QUÉ TAL EN TU NUEVA HABITACIÓN, ESTÁS CÓMODA?

YA IREMOS QUITANDO TRASTOS PARA QUE TENGAS MÁS ESPACIO Y...

¿HA APARECIDO YA LA FOTO?

¿LA HABÉIS ENCONTRADO?

¿PERO LA BUSCASTEIS BIEN?

MAMÁ, TODAS LAS FOTOS QUE TENÍAS EN TU CASA ESTABAN EN ESA CAJA DE CARTÓN QUE TRAJIMOS.

¿HAS MIRADO AHÍ?

ESA FOTO NUNCA HA ESTADO EN LA CAJA DE CARTÓN.

Esa fotografía iba donde fuera Antonia.

La había acompañado en todos sus cambios de domicilio.

Como el trozo de ámbar que guarda en su interior un mosquito prehistórico, valioso vestigio del pasado.

Y dormía siempre a su lado...

Protegida por el cristal de la mesita de noche.

Para los hijos de Antonia esa foto era una más.

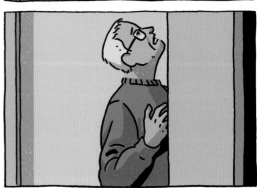

¿PERO QUÉ BUSCAMOS EXACTAMENTE?

Tras la muerte de su marido Antonia se había mudado a casa de uno de sus hijos.

Solo después de meses de malas caras y de docenas de velas encendidas, los hijos habían accedido a volver a la casa a buscar esa fotografía.

¿Y CÓMO ES ESA FOTO?

Los ausentes del Jardín de las Delicias

La fotografía captura un día de playa,
puede que fuera al final del verano de 1946,
a la hora de la comida.

Aparentemente es una fotografía como cualquier otra.

¿Conmemora algún momento especial?

En esa fotografía no está toda la familia,
¿por qué la hicieron entonces?

Una de las ausentes en la fotografía es Vicentita, la hermana mayor.

Antes de casarse ayudaba a su madre en las tareas de la casa y se ganaba un dinero cosiendo puntos de media para las vecinas.

Antonia se llevaba más de diez años con ella, quizá por eso nunca tuvo la confianza que llegó a tener con su hermana Amparín.

Vicentita quedó embarazada al poco tiempo de mudarse a aquella habitación.

El cuartito se fue haciendo cada vez más asfixiante.

Y las cosas empeoraron aún más al quedar encinta del segundo.

Para Vicentita y su marido aquellos años no fueron ni felices ni dignos.

AÚN NO ME HABÉIS PAGADO LA SEMANA ANTERIOR, ¿EH? Y YA ESTAMOS A MARTES.

¿HE DEJADO DE PAGARLE ALGUNA VEZ?

SOLO DIGO QUE ESTAMOS A MARTES.

¡PUES ENTONCES!

YA LE HE DICHO QUE LE PAGARÉ ESTA SEMANA, NO HACE FALTA QUE ME LO RECUERDE CADA VEZ.

SOLO TE LO RECUERDO.

Y NO USES MI JABÓN DE AFEITAR, CÓMPRATE UNO.

Estuvieron más tiempo del que esperaban encerrados en ese cuarto.

La relación entre las dos familias fue empeorando y acabaron evitándose, intentando coincidir lo menos posible, lo que no era fácil en una casa tan pequeña.

Cuando se tomó esa fotografía en la playa ya habían conseguido un piso para ellos solos.

Antonia se entristeció al ver marchar a su hermana.

Pero se alegró de perder de vista a su marido.

Con el paso del tiempo se perdió todo contacto entre las dos familias, desaparecieron de sus vidas.

El otro hermano ausente en la fotografía es Pipo. Pipo era un buscavidas. Iba de aquí para allá viviendo de lo que sacaba con todo tipo de trabajos.

Ropa heredada de algún primo más grande que él.

Ya que no podía vestir con la elegancia que le hubiera gustado, su gran orgullo era el pelo.

Lo cuidaba con esmero y todas las semanas iba al peluquero.

TE TOCA, PIPO.

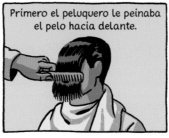

Primero el peluquero le peinaba el pelo hacia delante.

Después, cortaba el que sobrepasaba de la barbilla.

Lo embadurnaba generosamente de gomina.

Y finalmente peinaba hacia atrás dándole volumen al cabello.

Para mantener el peinado dormía con una media de mujer en la cabeza.

¡JA, JA, JA...!

Antonia y Pepito se llevaron más de un capón por burlarse de él.

A los treinta Pipo se quedó calvo. Antonia siempre pensó que la verdadera función de la media era mantener pegado el pelo a su cabeza.

Ocultó la calvicie con un peluquín también heredado de alguna otra cabeza más grande que la suya.

UN COÑAC CON SODA.

¿OS INVITO A ALGO, CHICAS?

Para él la casa familiar era como un hostal, simplemente un lugar donde comer y dormir.

¡ARRIBA!

EL QUE ES HOMBRE PARA SALIR DE FIESTA LO ES TAMBIÉN PARA TRABAJAR.

Estuvo "hospedado" allí hasta que los últimos miembros abandonaron la casa. Entonces se fue a trabajar a Alemania.

Siempre fue un solterón, decidió serlo. Tuvo varias parejas y dejó un par de niños por el camino.

NA, DARF ICH EUCH AUF EINEN SCHLUCK EINLADEN?

Ni la ausencia de Vicentita ni la de Pipo son de extrañar en esa fotografía.

Pero sí lo es la de Vicente, el padre de Antonia.

¿Por qué no está? ¿Y por qué deciden hacerse la única fotografía familiar que tienen justo el día que este está ausente?

Exceptuando a Vicentita y a Pipo, el resto de la familia iba junta los domingos a la playa.

Pasar el día en la playa era de los pocos momentos de diversión que se podían permitir.

41

Antonia prefería sin duda ir al cine, pero este era un lujo que solo sucedía de vez en cuando.

Otra de las opciones baratas de ocio era "tomar la fresca" las noches que hacía bueno.

Las familias sacaban sus mesas a la calle y cenaban todos juntos mirando las estrellas.

¡AHÍ HAY OTRA!

SON LAS LÁGRIMAS DE SAN LORENZO.

¿Y POR QUÉ LLORA?

¿QUÉ SON LAS ESTRELLAS FUGACES, MADRE?

POR NUESTROS PECADOS.

¿NUESTROS PECADOS?

Vicente trabajaba en el taller de grifería de su hermano pequeño, Francisco. No tenía vacaciones y su horario laboral era de doce horas al día, de lunes a sábado, por un sueldo que apenas le daba para subsistir.

A Francisco la vida le había tratado un poco mejor. Quizá era más inteligente que Vicente o más trabajador, o simplemente había tenido más suerte que él.

Aun así, Francisco pasaba las mismas miserias que la mayoría de la gente.

En aquella "democracia orgánica" de Franco, si realmente había algo democrático era sin duda la miseria.

Elvira, la madre de Vicente, vivía en casa de Francisco. Su marido, herrero de profesión, había muerto unos años antes de la guerra.

Todos los días iba al taller para llevarles la comida a sus hijos.

Mimaba sin pudor a Vicente. Era siempre el primero al que le daba la comida.

TE HE HECHO CARACOLES, QUE SÉ QUE TE GUSTAN.

CUIDADO, NO TE QUEMES.

Francisco nunca comprendió por qué su hermano, que era un perdedor, se llevaba todo el cariño de su madre.

¿QUÉ, TE TRAIGO TAMBIÉN UN CAFELITO Y UN PURO?

EMPIEZAS EL PRIMERO A COMER Y ACABAS EL ÚLTIMO.

Quizá por eso Francisco trataba a su hermano como a un simple trabajador a su cargo.

No es que Elvira quisiera más a un hijo que al otro, simplemente pensaba que Vicente necesitaba más de su ayuda.

Como toda madre estaba convencida de que su hijo era un ser maravilloso, y creía que merecía una mujer mejor que Carmen.

Carmen venía de una familia aún más humilde que la de Vicente. Sus padres habían nacido en un pueblo cercano a la ciudad y tuvieron una churrería ambulante.

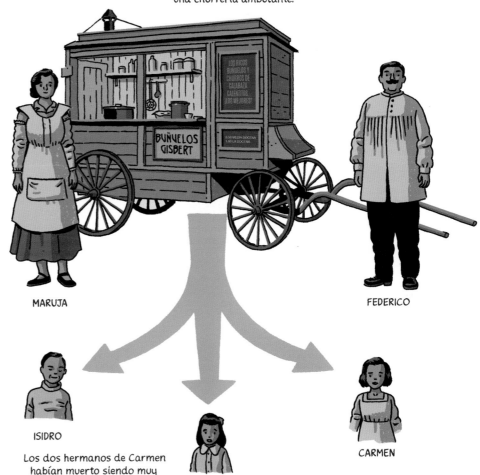

MARUJA

FEDERICO

ISIDRO

Los dos hermanos de Carmen habían muerto siendo muy pequeños.

FEDERICA

CARMEN

Elvira no tragaba a Carmen. La culpaba de todas las desgracias que padecía su hijo.

Era obligación de Carmen administrar la casa y que a Vicente no le faltase un plato de comida sobre la mesa al regresar cansado del trabajo.

¿LA ÚLTIMA?

SERVIDORA.

PERO YA NO QUEDA ACEITE.

AY, DIOS.

Y LA LECHE HACE UN MES QUE NI LA VEMOS.

TOTAL, PARA ESA LECHE EN POLVO QUE NI ES LECHE NI ES NADA.

El sistema de racionamiento que había instaurado el Gobierno con la intención de que la población tuviera los alimentos básicos no funcionaba.

EL PAN, EL ARROZ Y LOS BONIATOS.

APÚNTAMELO, JUAN.

Los alimentos no llegaban ni en cantidad ni en calidad a una población hambrienta.

¿LA ÚLTIMA?

YA NO QUEDA ACEITE.

Para poder tener un plato de comida las familias recurrían al mercado negro, que supuestamente no existía.

Antes como antes el champán para los mejores momentos

Freixenet es el mejor

En el estraperlo no había escasez. Todo se podía comprar si podías pagarlo.

Al pequeño proveedor no se le permite intercambiar o vender sus productos directamente. Debe hacerlo a través de las grandes distribuidoras.

Estas son elegidas por el Gobierno y solo ellas pueden suministrar los productos a los almacenes del Estado.

ALMACENES DEL ESTADO

SE ACABÓ.

¿Cómo se nutre el

MERCADO NEGRO?

La distribuidora destina una parte, normalmente de mejor calidad, para venderla en el mercado negro, mucho más rentable.

Desde los mismos almacenes se provee también a los grandes estraperlistas.

Estos distribuyen a toda una red de pequeños estraperlistas.

A las familias como la de Antonia no les quedaba más remedio que endeudarse para conseguir en el estraperlo lo que no podían comprar con el racionamiento.

¿A CUÁNTO ESTÁ EL ACEITE?

Ese sistema corrupto promovido por el Gobierno hizo más ricos a unos pocos y hundió aún más en la miseria a los más desfavorecidos.

TOC

Pero es que, para la dictadura franquista, la pobreza no era una consecuencia de las deficiencias del sistema. Era ante todo una cuestión de falta de moral.

...LOS POBRES CARECEN DE ELLA, SON POCO MÁS QUE UNOS SALVAJES, LLENOS DE VICIO Y DE ODIO, QUE NO QUIEREN TRABAJAR.

Por eso debían ser controlados por las clases superiores, por la gente de bien, de "buena familia".

El pobre era directamente sospechoso de ser un criminal.

De esto advertían constantemente el cine, la literatura o los tebeos.

¡MISERABLE!

Había una creencia asumida incluso entre la propia gente humilde: si los pobres eran pobres se debía a que no trabajaban tanto como los ricos.

¡VAGO!

Siempre había sido así. Y cualquier duda al respecto o la creencia en una justicia social, la guerra civil las había derrotado claramente.

¡VAGO!

Por lo que, como todos, la familia de Antonia asumía su precaria situación sin protestar. Al fin y al cabo, si la riqueza se heredaba, también debía hacerlo la pobreza, y de eso Carmen había recibido una buena cantidad de sus padres.

¿NO COME BONIATOS?

NO TENGO HAMBRE.

MADRE...

TENGO HAMBRE.

A Antonia le encantaba ir a jugar a casa de Adelita.

HOLA, ADELITA.

HOLA.

Su padre tenía un estanco y estaban en mejor situación que el resto del barrio.

Y COGÍAMOS EL TRANVÍA.

Y NOS ÍBAMOS A LA PLAYA.

PERO ANTES MERENDÁBAMOS PORQUE TENÍAMOS HAMBRE.

¿QUÉ LES DAMOS?

UNA NARANJA Y PAN CON ACEITE.

ESTO PARA ELLAS. ÑAM, ÑAM, ÑAM... QUÉ RICO.

Y ESTO PARA NOSOTRAS.

HASTA MAÑANA.

MADRE, TENGO HAMBRE.

PERO SI TE ACABO DE DAR LA MERIENDA.

No es de extrañar que cuando Antonia se casó, y las cosas por fin mejoraron en los años sesenta, ganara unos cuantos kilos.

Comía a todas horas.

Cada kilo ganado era una justa venganza al hambre del pasado.

Solo al final de su vida volvió a estar tan delgada como en la fotografía de la playa.

Como si antes de irse de este mundo tuviera que devolver todos esos kilos que no le pertenecían.

Los domingos, que Vicente no estaba en el taller, Elvira le llevaba la comida a casa.

Se la daba en el portal.

¿MADRE, POR QUÉ NUNCA QUIERE SUBIR?

TOMA.

SON CARACOLES CON TOMATE, ME HAN SALIDO MUY BUENOS. YA VERÁS.

Y NO LE DES A NADIE, TE LOS HE HECHO PARA TI.

PERO... CÓMO VOY A...

ESE ES TU PROBLEMA, QUE ERES UN BUENAZO.

¿TÚ SABES LO QUE SUFRO DE VERTE ASÍ?

MUAK

APRENDE DE TU HERMANO.

¿PADRE?

Cuando Antonia se casó y se fue de casa se llevó a su padre con ella.

Lo cuidó hasta el final. Era su obligación como hija ocuparse de él y así lo hizo, ni lo dudó.

Aunque no lo mereciera.

No se mereció que lo cuidaran no por ser un egoísta.

Eso para Antonia era lo de menos...

No se lo merecía porque era un bruto.

Los habitantes del Edén

En esa fotografía que siempre acompañó a Antonia están su madre y sus hermanos Paco, Amparín y Pepito en la playa de Nazaret.

Muchos lugares del pasado de Antonia ya no existen.

Tampoco la mayor parte de la gente que conoció o con la que se cruzó en su infancia.

Fugaces destellos de existencia.

La playa de Nazaret, que en los años cuarenta era uno de los lugares donde los valencianos pasaban los domingos, ha desaparecido también.

En los ochenta ya no había hambre, pero aun así, al ampliarse, el puerto se comió la playa.

Ese día en que se tomó la foto, como de costumbre, la familia madrugó mucho para llegar pronto a la playa.

VAMOS, DAOS PRISA.

¿QUERÉIS IR MÁS RÁPIDO?

NO PODEMOS IR MÁS RÁPIDO, PAQUITO. MADRE SE CANSA.

VEIS, YA NO QUEDA SITIO A LA SOMBRA EN EL MERENDERO.

A MÍ NO ME IMPORTA ESTAR AL SOL.

YA PASO BASTANTE TIEMPO AL SOL EN LA OBRA.

Cuando el padre estaba ausente a Paco le gustaba tomar el mando.

VOY A PEDIR YA. ¡EH, CAMARERO!

¿QUÉ HA TRAÍDO, MADRE?

UN POCO DE BACALAO CON TOMATE Y TORTILLA.

61

Paco era el hermano mayor y estaba a punto de casarse.

Había conocido a su prometida en la zapatería donde trabajaba de dependienta. Paco se probó todos los zapatos de la talla 40 antes de conseguir una cita con ella.

Era el canon con que comparar a todos los hombres. Cuando años después Antonia se casó, su marido se parecía a él. Y cuando tuvo hijos, a uno de ellos le llamó Paco.

Hacía ya tres años que la había presentado en casa y estaban ahorrando para casarse.

A Antonia no le gustaba la prometida de su hermano, tenía celos de ella. Sentía devoción por Paco.

Por mucho que lo intentara, Paco no estaba dotado para el mando. Ni tan siquiera su familia se lo tomaba en serio, lo cual le frustraba.

ES QUE, MÍRALO, HACE COMO QUE NO ME VE. ¡CAMARERO!

¡EH!

NO, SI SEREMOS LOS ÚLTIMOS.

TRANQUILO, PAQUITO, NO TENEMOS PRISA.

Como su padre, Paco había combatido en el bando republicano.

Y como su padre, nunca decía ni una palabra sobre la guerra.

YA VOY.

POR FIN.

ES QUE TENGO HAMBRE, MADRE.

UN PORRÓN DE VINO Y UNA BOTELLA DE AGUA DE SELTZ.

ENSEGUIDA, SEÑOR.

PUES COMES PAN.

YA TE HA CRECIDO ESE BIGOTITO.

HASTA QUE NO TRAIGAN LA BEBIDA NO EMPEZAMOS.

ESTÁS MUY GRACIOSO. PARECES CASI UN HOMBRE.

Y, TÚ, ESPÉRATE A QUE TRAIGAN... COF, COF... LA BEBIDA, PEPITO.

DESDE LUEGO SI ALGUIEN SABE DE VERDAD DE HOMBRES ERES TÚ.

PERO... ¿QUÉ QUIERES DECIR CON ESO?

YA SABES...

TENGAMOS LA FIESTA EN PAZ, NO EMPECÉIS, EH.

Pepito era el pequeño de la familia.

Lo que más le gustaba era mirar cómo trabajaban los pintores. Podía pasarse horas observándolos.

Sus hermanos le llamaban "el estudiante", porque era el que más tiempo había ido a la escuela. Aunque no por ello era el más espabilado. Parecía vivir siempre en las nubes.

...LA MURALLA CHINA ES TAN LARGA QUE PODRÍA RECORRER CASI TRES VECES EL PERÍMETRO DE ESPAÑA.

No podía imaginarse un trabajo mejor que pintar esa interminable muralla.

Se alegró el día que su padre le sacó de la escuela para llevar un jornal a casa.

¿Y EN EL TALLER DEL TÍO HAY ALGO QUE PINTAR?

Hacía casi un año que ayudaba en el taller.

CLANK

TRATA LAS PIEZAS CON MÁS CUIDADO, QUE LAS VAS A ESTROPEAR TODAS. ME DEBERÍAN PAGAR A MÍ POR TENERTE AQUÍ.

CLANK

VEN, ANTONIETA...

VAMOS A CAMBIARNOS.

COF, COF...

COF, COF...

COF, COF, COF...

Antonia recuerda a su madre siempre con el mismo vestido negro, como de luto permanente.

La única variación en su vestir era ir con o sin delantal.

Su rostro iba a juego con el vestido negro, siempre melancólico, apenas sonreía.

Era delgada y frágil.

Su aspecto contrastaba con el de su marido, más alto y corpulento que ella.

Carmen estaba continuamente enferma.

COF. COF.

Murió un año después de que se hiciese aquella fotografía.

La madre de todas las madres

Antonia adoraba a su madre.

Madre e hija eran inseparables.

Una vez que acababan las tareas de la casa, juntas recogían los encargos de las vecinas.

Antonia había dejado la escuela muy pronto, era más útil ayudando a su madre. Así que no sabía escribir y apenas leer.

Entre colada y colada Carmen educó a su hija en el terrado de casa.

UNA MUJER DEBE TRABAJAR PARA AYUDAR A SU FAMILIA.

PERO SOLO HASTA QUE SE CASE.

LUEGO SU TRABAJO ES CUIDAR DEL MARIDO.

YA TE BUSCAREMOS ALGO. COSER PUNTOS DE MEDIA, COMO TU HERMANA VICENTITA.

UNA MUJER DEBE SABER COSER.

DENTRO DE UNOS AÑOS TE LLEVARÉ A CLASES DE COSTURA...

YA VEREMOS DE DÓNDE SACAMOS EL DINERO.

Y A LA HORA DE CASARTE...

SI YA HAS ACABADO CON ESO, TRÁEMELO.

VOY.

A LA HORA DE CASARTE, HAZLO CON UNO QUE SEA TRABAJADOR.

Y QUE NO SEA UN BRUTO, HIJA.

DESPUÉS, CUANDO DIOS TENGA A BIEN, LE DARÁS HIJOS.

Y, SOBRE TODO, Y ESTO ES LO MÁS IMPORTANTE, LLEGA AL MATRIMONIO COMO DIOS TE TRAJO AL MUNDO.

WoooOeee

¡LA SIRENA! ¡VAMOS, VAMOS!

PERO, MADRE...

HAY QUE IR AL REFUGIO.

NO, AL REFUGIO NO. VEN.

RRRRRR

VICENTITA, AQUÍ.

Carmen sufría claustrofobia, no podía soportar los refugios llenos de gente.

BOUM BOUM

Su mayor pesadilla era morir sepultada dentro de uno.

BOUM

¡AY, DIOS MÍO!

¡AYUDA!

¡AY, AY...!
¡QUE ESTÁN DENTRO,
QUE ESTÁN DENTRO!

Esa bomba es todo lo que Antonia recordaba de la guerra. Consiguió borrar todo lo demás, pero no pudo olvidar los gritos de aquella mujer.

Carmen tampoco fue al colegio. Como el resto de las mujeres de la familia, era analfabeta.

En su caso la escuela fue aquel carromato.

HAY QUE AMASAR BIEN, QUE NO QUEDEN GRUMOS...

Sus padres iban por los pueblos de feria en feria. A ella le gustaba esa vida trashumante, era como vivir en un continuo día de fiesta.

LOS RICOS BUÑUELOS Y CHURROS DE CALABAZA CALENTITOS ¡LOS MEJORES!

BUÑUELOS GISBERT

COGES UN TROCITO ASÍ.

METES EL DEDO GORDO EN LA MASA HASTA HACERLE UN AGUJERO.

Y ENTONCES LO DEJAS CAER SUAVEMENTE EN EL ACEITE.

FSSSS

EL ACEITE TIENE QUE ESTAR MUY MUY CALIENTE, ACUÉRDATE.

CLAP CLAP CLAP

La muerte se hizo asidua de la churrería. Ya hacía tiempo que había venido a por sus hermanos, y un día regresó a por su padre.

Y poco después le tocó el turno a su madre.

Carmen se quedó sola y no tuvo más remedio que irse con su tía. El destino las había unido a la fuerza y nunca llegaron a congeniar.

Así que, en cuanto Carmen tuvo la oportunidad, se casó. No fue un flechazo lo que sintió por Vicente. Él la cortejó durante un tiempo y ella aceptó casarse. Pensó que ya llegaría el amor. Vicente era agradable y trabajador, y parecía buena persona.

En el tiempo que llevaban casados, Carmen había cumplido sobradamente lo que se esperaba de una buena esposa y tenía seis hijos que criar.

Carmen se encargaba de administrar el jornal.

ESO ES LO QUE LE DEBEMOS AL PRESTAMISTA.

EL ALQUILER, CARBÓN...

ESTO ES LO DEL TENDERO.

SI SOBRA ALGO, ¿ME LO PUEDE DAR PARA IR AL CINE?

¡AY, ANTONIETA! NO ESTAMOS PARA CAPRICHOS.

DIOS NOS AYUDARÁ.

La familia de Antonia solo podía esperar la ayuda divina para salir de la miseria.

COMO DIOS JUSTO QUE SOY, AQUÍ TENÉIS UN BOLETO DE LOTERÍA QUE SERÁ AGRACIADO CON EL GORDO DE NAVIDAD.

Cualquier otra solución a sus dificultades era impensable.

En busca de ese milagro, o al menos de consuelo y comprensión, madre e hija acudían a la iglesia.

...Y, CREEDME, TODAS ESAS PERSONAS RECIBIRÁN EL BESO AMOROSO DE LA PATRIA...

...Y OBTENDRÁN SU JUSTA RECOMPENSA EN EL CIELO.

PERO QUE TEMAN SUS VERDUGOS, ESAS FIERAS SUBHUMANAS, MÁS SANGRIENTAS QUE LAS DE LAS SELVAS...

Pero lo que encontraban en aquellos sermones, más que amor y reconciliación, era rencor y venganza. Tanto para la Iglesia como para la dictadura la guerra aún no había terminado.

Con la victoria de Franco, la Iglesia recuperaba el poder que la República le arrebató. Era el turno de vengarse de los sangrientos ataques de los que había sido víctima.

QUE TEMAN A DIOS Y AL CAUDILLO...

...PORQUE ARDERÁN EN EL INFIERNO POR TODA LA ETERNIDAD.

A pesar del miedo que le provocaban sus sermones, a Antonia le gustaba el cura.

Pero no en un sentido sexual ni tan siquiera platónico, era, digamos, gastronómico.

Para una familia como la de Antonia, con dos excombatientes republicanos entre sus miembros, contar con la simpatía del cura era muy importante.

Así que, para agradecerle que hubiera casado a Vicentita, la madre la envió a la parroquia con un obsequio.

Antonia nunca había visto un pollo asado. Quizá en las películas de Charlot, pero nunca al natural. Con color...

Y con olor. El olor le causó un éxtasis mayor que el del incienso al entrar en la iglesia.

BONITO FRITO INFERIOR

Desde entonces cada vez que miraba al cura recordaba aquel pollo rustido.

No sabía si eso era pecado, pero sus tripas rugían como el león de las películas.

GROAR

¡CHISSS!

PASEMOS AHORA A LA LECTURA DEL GÉNESIS...

Y VEAMOS QUÉ LECCIÓN PODEMOS SACAR DE ELLA.

Los relatos bíblicos eran su parte favorita de la misa.

Le fascinaban aquellas historias.

AL PRINCIPIO NO HUBO NADA...

NADA EN ABSOLUTO, OSCURIDAD.

¿OS LO PODÉIS IMAGINAR?

Y DIJO DIOS:
SEA LA LUZ;

Y FUE LA LUZ.

SEPARÓ DIOS LA LUZ
DE LAS TINIEBLAS.
Y LLAMÓ DIOS A LA LUZ DÍA,
Y A LAS TINIEBLAS LLAMÓ
NOCHE.

CREÓ LA TIERRA Y LOS MARES.
LA HIERBA Y LOS ÁRBOLES Y
SUS FRUTOS; LAS AVES, LOS
PECES Y EL RESTO DE
LOS ANIMALES.

ESO ES, PODRÍAMOS VIVIR PARA SIEMPRE EN EL EDÉN. SIN TRABAJAR, SIN SUFRIMIENTO… ¡SIN HAMBRE! PERO POR CULPA DE EVA DIOS NOS CASTIGÓ A TODOS.

La historia de Adán y Eva las maravillaba. Una y otra vez volvían a ella.

Ahí estaba la respuesta a todas las preguntas, por qué la mujer era inferior; por qué todos somos pecadores; y el porqué de nuestro castigo, de la miseria e incluso del hambre.

Antonia pensaba mucho en el Edén y en cómo sería poder volver a vivir en él.

¡CÓMO TE ATREVES A ENTRAR EN EL EDÉN!

¿TE CREES QUE NO SÉ QUIÉN ES TU FAMILIA?

¡YO NO SOY EL DIOS DE LOS "ROJOS"!

¡FUERA!

MADRE...

¿NOSOTROS SOMOS "ROJOS"?

NO DIGAS ESO. NO VUELVAS A DECIRLO.

ES LO QUE NOS TOCÓ Y PUNTO.

Y HAY QUE DAR GRACIAS AL CAUDILLO POR SALVAR ESPAÑA, ¿ENTENDIDO?

Y SE ACABÓ EL TEMA, BIEN MERECIDO NOS TENEMOS TODO LO QUE NOS PASA.

"ROJOS". Además de la represión, una de las armas del franquismo fue el lenguaje.

Al golpe de Estado contra la II República se le llamó "*Glorioso Alzamiento*". A la guerra que este provocó se la denominó "*La Cruzada*". El ejército golpista era el "*Ejército Nacional*". Y al conjunto de los defensores de la República, fueran comunistas o no, se les llamó:

Fig. 5

Rojos:
Dícese de los causantes
de todos los males.

Eran la serpiente que con sus corruptos ideales había hecho perder a España su Paraíso.

PLUS — ULTRA

Qué lejos quedaban ya esos tiempos gloriosos y felices del Imperio español, tan extenso que nunca se ponía el sol y tan lleno de fervor católico.

Franco había recibido directamente de Dios el mandato de recuperar el Edén perdido.

Solo él podía conducir al país en tan difícil travesía.

Pero el giro de la contienda en Europa, y la cada vez más cercana derrota de Hitler, hacían ya improbables los sueños imperialistas de Franco.

Los "rojos" seguían a bordo y podían hacer zozobrar de nuevo el país. Este miedo creó una sociedad jerárquica donde el de abajo miraba con temor al de arriba y el de arriba con desconfianza al de abajo.

Y NUNCA MÁS HABLES DE ESO. MIRA QUE SI TE OYE ALGUIEN...

Eso no evitaba que la ilusión de recuperar el "Destino Histórico", y con ello una supuesta felicidad y bienestar perdido, fuera utilizada para que los españoles soportaran la miseria de la posguerra. Y, además, estuvieran ¡alerta!

VENGA, PERO SI MIRA CUÁNTOS TE TRAIGO.

LO SIENTO, SEÑORA.

¿SOLO ME VAS A DAR UNA TAZA POR TODOS ESTOS TRAPOS?

ME DIJISTE QUE LA SIGUIENTE VEZ SERÍAS MÁS GENEROSO.

ESTÁ BIEN, ESTÁ BIEN. A VER QUÉ TENGO POR AQUÍ...

HOLA, ANTONIA.

A VER SI PUEDE SER OTRA TACITA.

¡MUJER!

¿QUÉ HACES?

CON ESTA YA TENEMOS CUATRO TAZAS.

NOS FALTAN OTRAS CUATRO PARA QUE CADA UNO DE LA FAMILIA TENGA LA SUYA.

¿TE VIENES AL CINE?

ES UNA DE JAMES STEWART.

INVITA ADELITA.

ME LO HA DADO MI ABUELA.

¡VAMOS, QUE LLEGAMOS TARDE!

DALE LAS GRACIAS A ADELITA.

YA LA INVITAREMOS NOSOTROS...

ALGÚN DÍA.

UN PLATITO ES TODO LO QUE PUEDO DARLE.

Además de la terraza de su casa y de la iglesia, la otra escuela de Antonia fue el cine.

Para ella todo lo que aparecía en la pantalla era real.

Lógicamente, James Stewart, Cary Grant y Katharine Hepburn existían.

Como también eran reales Fu Manchú, el ladrón de Bagdad y todos los otros personajes del cine...

Y todos ellos convivían en total armonía con Jesucristo, con Adán y Eva, y con los duendes y brujas de las historias que le contaba su madre.

Era incapaz de localizar África en el mapa, pero sabía que allí vivía Tarzán. El mundo era su ciudad y fuera de ella se encontraban los lugares de las películas y de la Biblia.

EL CIELO

JARDÍN DEL EDÉN

HOLLYWOOD

NUEVA YORK

ÁFRICA

MADRID

"MESÓN PARÍS" DONDE PARARON PARA COMER

PLAYA NAZARET

VALENCIA

PARÍS

MAR

CINE

CHINA

Solo cuando en los setenta hizo un viaje a Madrid su visión del mundo se amplió un poco.

HUNDIMIENTO TITANIC

¡JA, JA, JA!

MAMÁ, LAS ESTRELLAS FUGACES SON PEQUEÑOS METEORITOS QUE CAEN A LA TIERRA.

El mundo real era algo muy complejo para Antonia y se sentía incómoda en él.

¡JA, JA, JA!

AY, ANTONIA, QUÉ COSAS TIENES.

¿CÓMO VAIS A PASAR POR PARÍS EN EL VIAJE A MADRID?

Nunca tuvo curiosidad o interés por entenderlo.

En lugar de eso, prefirió mantener a su marido y a sus hijos dentro de su burbuja alejada del mundo real.

Esa forma fantasiosa de ver el mundo fue obra de su madre.

¿YA TIENES LOS PAPELES CON LOS NOMBRES PLEGADOS?

AHORA MÉTELOS EN EL AGUA. Y EL PRIMERO QUE SE ABRA, ESE ES EL CHICO CON EL QUE TE CASARÁS.

¡PERO, CUIDADO! EL VASO DEBES LLENARLO CON LA PRIMERA AGUA DEL DÍA, SI ALGUIEN HA BEBIDO YA NO FUNCIONA.

MIRE, MADRE. ¡YA SE ABRE UNO!

De no ser analfabeta, Carmen podría haber escrito grandes novelas.

CUPIDO YA HA ELEGIDO. MIRA CUÁL ES.

¡ES AMADOR!

Le gustaba sobre todo contar historias en las que la soberbia humana llevaba a los protagonistas a la catástrofe. Las contaba a su manera.

HABÍA EN ORIENTE UNOS REYES QUE QUE SE CREÍAN INVENCIBLES.

DECIDIERON CONSTRUIR UNA TORRE MÁS ALTA QUE LAS PROPIAS NUBES PARA ASÍ LLEGAR HASTA DONDE VIVE DIOS Y DESTRONARLO. PERO...

CONSTRUYERON EL BARCO MÁS GRANDE JAMÁS VISTO, MÁS GRANDE QUE LA CIUDAD MÁS GRANDE. CREÍAN QUE ERA UN BARCO INDESTRUCTIBLE Y QUE NADA PODRÍA HUNDIRLO. PERO...

Las historias tenían la misma moraleja: salirse del lugar que nos corresponde lleva a la tragedia.

De todas las historias que contaba Carmen, la preferida de Antonia era la de don Milán.

DON MILÁN DE VALENCIA SE MARCHÓ...

CON GRAN PESAR DE TODOS SE DESPIDIÓ...

SU PAPÁ DIJO A TODOS AL SALIR, EL SIMPÁTICO MILÁN PRONTO VOLVERÁ A VENIR...

¿Y USTED LO VIO?

¿A QUIÉN?

A DON MILÁN.

SÍ, YO ERA PEQUEÑA CUANDO SALIÓ CON SU GLOBO.

¿ERA GUAPO?

YA LO CREO. Y MUY VALIENTE.

TENÍA VARIOS ESPECTÁCULOS QUE HACÍA EN LAS FIESTAS.

EN UNA OCASIÓN SE SUBIÓ AL CAMPANARIO MÁS ALTO Y DESDE ALLÍ TENDIÓ UN LARGO CABLE.

ANTES DE EMPEZAR, Y COMO HACÍA SIEMPRE, MIRÓ CON ATENCIÓN A LOS ASISTENTES...

ABAJO TODOS TENÍAN LA VISTA PUESTA EN EL CIELO Y CONTENÍAN LA RESPIRACIÓN ESPERANDO A QUE DON MILÁN DIERA EL PRIMER PASO SOBRE EL CABLE.

EL CAPITAN DON MILAN

Sábado 11 de la mañana

Cruzará a gran altura sobre la ciudad

A MITAD DEL CAMINO SE DETUVO Y MIRÓ ABAJO, COMO SI BUSCARA A ALGUIEN ENTRE EL PÚBLICO.

DESPUÉS, CONTINUÓ CAMINANDO SOBRE EL DELGADO CABLE.

LA GENTE MURMURABA QUE TODAS AQUELLAS TEMERIDADES LAS HACÍA PORQUE QUERÍA MORIR.

¿POR QUÉ?

SU AMADA ESPOSA ERA TAMBIÉN ACRÓBATA. HUBO UN ACCIDENTE MUY GRAVE, SU PADRE PERDIÓ UNA PIERNA Y ELLA MURIÓ AL CAER DEL TRAPECIO.

LA MUERTE LOS HABÍA SEPARADO Y SOLO LA MUERTE PODÍA VOLVER A UNIRLOS.

PERO, POR MUY PELIGROSA QUE FUERA LA PROEZA QUE INTENTASE, LA MUERTE NUNCA QUERÍA LLEVÁRSELO.

¿Y EL ESPECTÁCULO DEL GLOBO? ¿CÓMO FUE?

FUE EN LA FERIA DE JULIO. HABÍA CARTELES POR TODA LA CIUDAD.

TODOS HABLABAN DE ELLO.

POR FIN LLEGÓ EL DÍA.

CAPITÁN
DON
MILÁN

Y DESDE BIEN TEMPRANO LA GENTE EMPEZÓ A ACUDIR A LA PLAZA PARA VER A DON MILÁN Y A SU INMENSO GLOBO.

DAMAS Y CABALLEROS, LES RUEGO QUE ESTÉN ATENTOS, YA QUE EL GRAN DON MILÁN ESTÁ A PUNTO DE PARTIR.

SU PROEZA NO TENDRÁ PARANGÓN EN LA HISTORIA DE LA AERONÁUTICA.

SU GLOBO LE LLEVARÁ TAN ALTO COMO AQUELLAS ALAS DE CERA LLEVARON AL DESDICHADO ÍCARO A TOCAR EL SOL.

PERO NO TEMAN, DAMAS Y CABALLEROS, PORQUE NADA PODRÁ DESTRUIR ESTE FABULOSO GLOBO.

EL VALIENTE DON MILÁN SUBIRÁ MÁS ALTO DE LO QUE NINGÚN OTRO SER HUMANO LO HAYA HECHO PARA TOCAR LAS NUBES.

¿LISTO, HIJO?

ESTOY LISTO.

Y DESCENDERÁ JUSTO EN ESTE LUGAR SANO Y SALVO...

DESPUÉS DE HABER CONCLUIDO SU AVENTURA.

NUNCA VOLVIÓ.

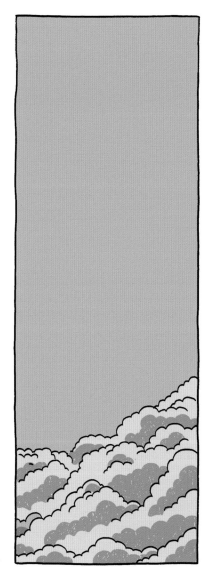

DON MILÁN DE VALENCIA SE MARCHÓ,
CON GRAN PESAR DE TODOS SE DESPIDIÓ,
SU PAPÁ DIJO A TODOS AL SALIR,
EL SIMPÁTICO MILÁN PRONTO VOLVERÁ A VENIR,
NIÑERAS UN CENTENAR, COCINERAS MÁS DE MIL,
Y QUINIENTAS TEJEDORAS, EN EL GLOBO VAN A IR...

Desobedeciendo a Dios

Amparín era la hermana
favorita de Antonia.

¿LLOVERÁ, MADRE?

ESPERO QUE NO, O NO SE NOS SECARÁ LA COLADA.

PUES SE TIENE QUE SECAR, QUE MAÑANA HE QUEDADO PARA IR AL CINE CON UN CHICO.

COF, COF...

ACABA TÚ, ANTONIETA. VOY A SENTARME UN POCO.

COF, COF...

109

JA, JA, JA...

PERO... ¿DE DÓNDE TE HAS SACADO ESO?

ESO TE LO HA DICHO MADRE, ¿A QUE SÍ?

NO, LE PASÓ A UNA AMIGA.

LAS MUJERES NO SE QUEDAN EMBARAZADAS POR DARSE UN SIMPLE BESO CON UN CHICO.

QUÉ INGENUA ERES.

DÉJAME, NO SOY INGENUA.

QUE NO TE VOY A PREÑAR.

¿QUIERES LLEVAR BIEN EL PARAGUAS? ME ESTOY MOJANDO.

AL MENOS CON ESTE ASCO DE LLUVIA SE DISIMULA QUE LA ROPA NO SE NOS HA SECADO.

¿ES ESE DE AHÍ?

¿QUÉ TE PARECE?

¡ES CALVO!

NO ES CALVO.

ME GUSTABA MÁS TU OTRO NOVIO.

VEN AQUÍ...

PERO QUÉ...

ERES YA MAYOR PARA LLEVAR ESTAS TRENZAS.

DÉJAME.

¿Y TÚ QUÉ QUIERES?
¿UN AGUA DE SELTZ?

POR FAVOR,
CAMARERO.

OTRO
VERMÚ.

PREGUNTA SI PUEDE
PEDIRSE UN SUIZO Y UN
CAFÉ CON LECHE.

"TU HERMANA VA DE CABEZA AL INFIERNO".

¡EH, TÚ, DEJA A MI HERMANA!

NO VAS A VENIR MÁS. ME VAS A ASUSTAR A TODOS MIS NOVIOS.

AY, ANTONIETA.

PUES SI YO TUVIESE ACEITE LO MOJARÍA EN PAN, NO ME LO UNTARÍA EN EL CUERPO.

¿NO ESTÁ EL HIJO DEL ENCARGADO DE LAS CASETAS? ¿ES GUAPO, VERDAD?

LIBRARÁ HOY Y ESTARÁ CON SU NOVIA.

LAS CHICAS DE FAMILIA BIEN LO USAN PARA BRONCEARSE.

PENSÉ QUE FUNCIONARÍA.

¿EL QUÉ?

LO DE LOS PAPELITOS EN EL VASO DE AGUA.

JA, JA, JA...

Han pasado setenta y cinco años desde que se hizo esa fotografía.

Antonia recordaba a diario a su hermana y a su madre.

ÉCHALO AL SACO PARA EL TRAPERO.

A VER SI NOS DA OTRA TAZA.

Pero la entristecía cuando no era capaz de recordar sus caras.

ESE TRAPO YA ESTÁ VIEJO...

Expulsados del paraíso

NO, NO, A ELLA, A ELLA.

¿SON 50 CÉNTIMOS?

ESO ES.

TREINTA... CUARENTA... Y CINCUENTA.

QUE APROVECHE, FAMILIA.

¿AHORA TE SOBRA EL DINERO?

QUIERO TENER UN RECUERDO DE ESTE DÍA.

AY, HIJA, CON ESO HABRÍAMOS PAGADO EL VINO.

¿UNO DE TUS MUCHOS NOVIOS ES RICO?

PACO, DEJA A TU HERMANA...

¿Y TÚ QUÉ, EH?

¿YO, QUÉ?

TODOS LOS HOMBRES SOIS UNOS FALSOS.

TE VAS A CASAR CON ROSA DENTRO DE UNOS MESES Y SIN EMBARGO TIENES UNA "QUERIDA" CON LA QUE TE ACUESTAS.

¡NO DIGAS ESAS COSAS! TU HERMANO ES UN HOMBRE Y TIENE SUS NECESIDADES.

ROSA ES DECENTE Y LLEGARÁ COMO DIOS MANDA AL MATRIMONIO. NO COMO TÚ.

¿SABES CÓMO TE LLAMAN TODOS? "LA NODO", PORQUE ESTÁS AL ALCANCE DE TODOS LOS ESPAÑOLES.

¡¡PAQUITO!!

¿QUÉ?

¿TE CREES QUE A MÍ ME GUSTA QUE ME CONOZCAN EN EL BARRIO COMO "EL HERMANO DE LA NODO"?

ALGUIEN SE LO TIENE QUE DECIR.

NO LE HAGAS CASO...

YA SABES CÓMO SE PONE CUANDO QUIERE DÁRSELAS DE CABEZA DE FAMILIA.

¿POR QUÉ NO LE HAS DICHO QUE TE VAS A CASAR?

YA NO ME APETECE DAR LA NOTICIA.

ME IMAGINABA ESE MOMENTO DE OTRO MODO.

ME VOY A IR A VIVIR A ALBACETE.

¿TE VAS A IR?

TODO ME LO IMAGINABA DIFERENTE.

PACO TIENE RAZÓN. PERO ESTA ES LA OPORTUNIDAD DE EMPEZAR DE CERO.

¿PE-PERO POR QUÉ?

ÉL ES DE ALLÍ. QUIERE QUE NOS CASEMOS Y VIVAMOS CON SU FAMILIA.

PUES BÚSCATE OTRO NOVIO QUE SE QUIERA CASAR, PERO QUE SEA DE AQUÍ.

¿CREES QUE VOY A ENCONTRAR MUCHOS MÁS HOMBRES QUE QUIERAN CASARSE CONMIGO?

SOY "LA NODO", ¿SABES? NO SEAS INGENUA.

COF, COF...

CUÍDATE, HIJA.

AY, MI PEQUEÑA ANTONIETA. YO TAMBIÉN.

TE VOY A ECHAR MUCHO DE MENOS.

AHORA SÍ, ESTE SÍ ES EL MOMENTO.

USTED TAMBIÉN, MADRE.

¿NOS ESCRIBIRÁS?

HAGA REPOSO, Y COMA MÁS.

125

Amparín había sido la favorita de su padre desde que nació.

Era su tercer hijo, sin embargo una corriente eléctrica le atravesó al cogerla por primera vez. Aquel bebé encajaba tan perfectamente entre sus brazos como ninguna otra cosa en el mundo lo había hecho. Tuvo que hacer un gran esfuerzo para que no se le escapasen las lágrimas.

Como cualquier hombre, Vicente no mostraba sus sentimientos. Quizá el único que podía expresar sin vergüenza era la furia.

Amparín recibió más broncas y más capones que ninguno de sus otros hijos.

PLAS

Si esa era la forma que tenía su padre de decirle que la quería, Amparín jamás lo sintió así. Y quizá por eso se obstinó en hacer lo contrario a lo que su padre esperaba de ella.

Cuando su hermana Vicentita anunció que estaba embarazada de su segundo hijo, Amparín ya sabía que ella también esperaba un niño.

Lo llevó en secreto todo lo que pudo, esperando que las cosas se arreglaran milagrosamente. En muchas ocasiones estuvo a punto de contárselo a su madre.

Pero las palabras nunca salían de su boca.

Cuando por fin lo hicieron ella misma fue la primera en sorprenderse.

ESTOY EMBA RAZADA

Como si las palabras no fueran suyas.

127

EL PADRE NO QUIERE SABER NADA. CUANDO SE CASE SE IRÁ CON SU MUJER A VIVIR A CARACAS.

¡COF, COF!

AY, AMPARÍN.

¿CÓMO SE LO DIGO A PADRE? ¿ME ECHARÁ DE CASA?

YO LO HARÉ...

...BUSCARÉ UN BUEN MOMENTO PARA DECÍRSELO.

PARA YA, PARA YA...

¿ES QUE NO TE QUIEREN EN CASA? HAS VENIDO MUY PRONTO.

YO...

¿FUISTE A LA LUCHA LIBRE?

CABEZA DE HIERRO GANÓ A TODOS.

ESE CABEZAZO SUYO ES INVENCIBLE.

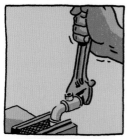

KLANK

LO QUE ROMPES LO PAGAS. YA LO SABES.

133

¿YA HA LLEGADO?

AÚN NO.

RIIIIING

QUÉ FRÍO HACE EN LA CALLE. VAYA NOCHEBUENA.

HOLA, TÍO.

¿Y VUESTRA MADRE?

ESTÁ EN LA COCINA.

HOLA, FRANCISCO. ¿HAS VENIDO SOLO?

CHELO SE HA QUEDADO PREPARANDO LA CENA Y MI MADRE QUERÍA VENIR, PERO COMO NO PUEDE SUBIR ESCALERAS...

OS TRAIGO EL REGALO ANUAL DE NAVIDAD.

AY, QUÉ DIOS TE LO PAGUE.

YA SABES, DE LA FÁBRICA DE MI YERNO.

¿UNA COPITA DE COÑAC?

¡VENGA! A VER SI CON ESO ENTRO EN CALOR.

¿TE HE DICHO YA QUE HAN ASCENDIDO A MI YERNO?

PERO SOLO PODÉIS MOJAR UN POQUITO DE PAN EN EL ACEITE, ¿EH?

QUE ES PARA LA CENA.

HEMOS CASADO MUY BIEN A MI ROSI, ESO ES ASÍ.

¿TÚ TAMBIÉN QUIERES PROBARLO, PAQUITO?

NO, AGUANTO HASTA LA CENA.

¿SEGURO?

BUENO, DEME UN TROCITO DE PAN, VENGA...

TE TRAIGO UN TROCITO DE PAN CON ACEITE DEL ATÚN.

¿YA HA LLEGADO EL TÍO?

AHORA TIENES QUE COMER POR DOS.

GRACIAS. MMMM...

¿CÓMO ESTÁ AMPARITO?

YA NO TIENE FIEBRE.

PERO SIGUE SIN AGARRARSE A LA TETA.

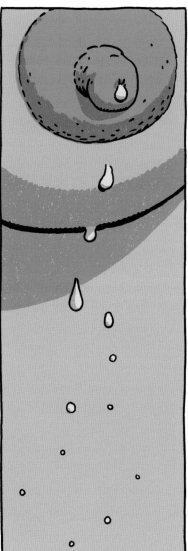

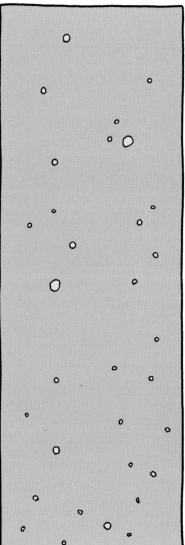

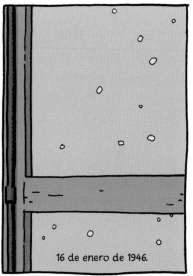

16 de enero de 1946.

Antonia lo recuerda muy
bien porque es el día que nevó,
y eso es inusual en Valencia.

139

La mayoría de la gente nunca había visto nevar, no había nadie por las calles...

La ciudad estaba en silencio.

Así lo recuerda Antonia, como una película muda.

Su madre no la dejó ir al entierro de la niña de Amparín, así que se quedó en casa viendo nevar.

Le sorprendió lo rápido que se repuso su hermana de aquella desgracia.

En cuanto llegó la primavera Antonia ya estaba acompañando a Amparín al cine.

Y ESTA VEZ NO ME LO ASUSTES, ¿ENTENDIDO? O NO ME ACOMPAÑARÁS MÁS.

MIRA, AHÍ ESTÁ.

Y NO MENCIONES NADA DE LA NIÑA. NUNCA VUELVAS A HABLAR DE ELLA. NO HA EXISTIDO.

¿ME OYES?

Desde el mismo momento en que Vicente se enteró del embarazo de su hija ya no volvió a hablarle.

Para él era como si no existiera.

AMPARÍN, DALE LA VUELTA YA A LA TORTILLA.

SI NO OS DAIS PRISA, SE NOS VA A HACER MUY TARDE. Y YO QUIERO COGER UN BUEN SITIO EN EL MERENDERO.

MIRA A VER QUÉ HACE PEPITO.

MADRE...

¿PADRE VENDRÁ A LA PLAYA?

AY, HIJA... YA SABES CÓMO ES.

BASTA QUE VENGAS TÚ PARA QUE NO QUIERA VENIR.

PREGÚNTELE.

QUE NO, MADRE, NO ES ESO. ES ALGO BUENO.

ESTÁ BIEN. VOY A PREGUNTARLE.

QUIERO CONTAROS ALGO A TODA LA FAMILIA.

¿NO ESTARÁS EMBARAZADA OTRA VEZ?

143

¡...A NINGUNO DE TUS HIJOS!

POR TU CULPA AMPARÍN SE HA IDO DE CASA...

PARE, PADRE.

PLAS

CLINK

CLINK

PLAS

BRUTO, ERES UN BRUTO.

"CADA DÍA ESTOY MÁS GORDA. LA FAMILIA DE EMILIO ME CUIDA MUCHO Y, SI DIOS QUIERE, DENTRO DE UN PAR DE MESES NACERÁ EL BEBÉ".

La profesora de costura le leía a Antonia las cartas que Amparín enviaba...

...Y le escribía las de respuesta.

"QUERIDA HERMANA: ESPERO QUE EN CUANTO NAZCA EL BEBÉ VENGAS A VERNOS. A MADRE LE HA RECOMENDADO EL MÉDICO REPOSO ABSOLUTO".

"QUERIDA FAMILIA..."

"ASÍ QUE AHORA ME OCUPO YO DE TODO".

¡TRAPEROOOO!

"...YA ESTOY FELIZMENTE INSTALADA EN LA NUEVA CASA".

"NO TE LO VAS A CREER. YA TENEMOS OTRA TAZA..."

"SIN VICENTITA, SIN PACO Y SIN TI EN CASA AHORA NOS SOBRAN".

"PERO SI CONSIGO UNA MÁS, EL DÍA QUE VENGAS A CASA Y NOS JUNTEMOS TODOS CADA UNO TENDRÁ LA SUYA".

"LA SEMANA PASADA DESAPARECIÓ UNA CUCHARA. SE LO CONTÉ A MADRE..."

"YA SÉ QUE A TI ESTAS COSAS TE DAN RISA, PERO LE PUSE UNA VELA A SAN ANTONIO COMO ME DIJO Y APARECIÓ".

"ME EXPLICÓ QUE LAS COSAS QUE SE QUEDAN SIN ORDENAR DESAPARECEN MISTERIOSAMENTE POR LA NOCHE".

"ESTA SEMANA SE HA VENIDO A VIVIR A CASA LA ABUELA ELVIRA. PARECE QUE YA PUEDE SUBIR Y BAJAR LAS ESCALERAS SIN PROBLEMA".

"PERO MÁS PARECE QUE HAYA VENIDO A CUIDAR DE PADRE QUE DE MADRE".

NO QUIERO MÁS, CÓMETELO TÚ.

AY, MI ANTONIETA...

NUNCA TE VA A QUERER NADIE TANTO COMO YO TE QUIERO.

NUNCA.

Y TE SEGUIRÉ CUIDANDO DESDE ALLÍ ARRIBA.

¿CÓMO ES?

¿EL CIELO? NO LO SÉ. YO ME LO IMAGINO COMO EL EDÉN.

ANTONIA.

¿PERO QUÉ HACES AÚN AHÍ?

¿NO VES QUE TU MADRE ESTÁ MUERTA?

VAMOS, QUE HAY MUCHAS COSAS QUE PREPARAR.

Al oeste del Edén

"QUERIDA HERMANA..."

"...HE TOMADO UNA DECISIÓN".

"ME IRÉ A VIVIR CONTIGO".

"PERO, PARA EMPEZAR UNA NUEVA VIDA, ANTES TENGO QUE APRENDER A LEER Y ESCRIBIR".

"MI PROFESORA DE COSTURA, CUANDO ACABO LAS CLASES, ME ESTÁ ENSEÑANDO".

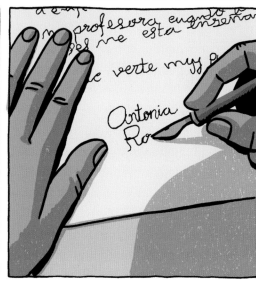

ESTÁS APRENDIENDO MUY RÁPIDO.

¿QUIERES QUE LEAMOS AHORA UN POCO?

NO PUEDO, SE ME HA HECHO TARDE.

YA ESTOY EN CASA.

¿PERO QUÉ ES ESTO?

¿QUÉ PASA?

¿DÓNDE ESTÁ LA CENA?

SE ME HA HECHO TARDE EN...

¿PERO TÚ QUIÉN TE HAS CREÍDO QUE ERES?

¿PARA QUÉ ME MATO YO A TRABAJAR, EH?

QUE SEA LA ÚLTIMA VEZ QUE LLEGO A CASA Y NO ESTÁ LA CENA EN LA MESA.

Antonia nunca supo escribir. Ya no tuvo interés en aprender en toda su vida.

DE TU HERMANA.

Unas semanas después llegó una carta de Amparín. Era corta y la firmaba su marido.

TOMA...

Le contaba que Amparín había muerto en el parto, no mencionaba si el niño había sobrevivido ni daba más detalles.

¡TRAPEROOO!

159

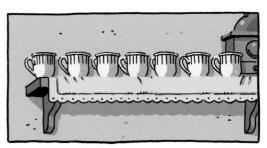
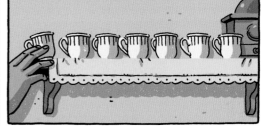

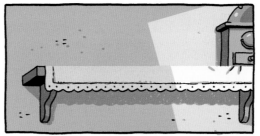
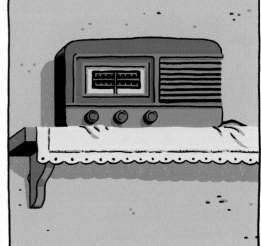
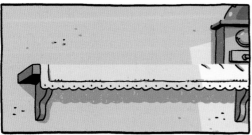

CLIK

DESPUÉS DE ESTE SENTIDO RECITAL DE VIOLÍN Y DE NUESTRA SECCIÓN "LLAMAMIENTO A LA RECONSTRUCCIÓN"...

...Y BAJARON A LA BODEGA SIN HACER RUIDO. NADA MÁS ENTRAR, LA SEÑORA HALL SE DIO CUENTA...

...HA LLEGADO EL ESPERADO MOMENTO DE ESCUCHAR NUESTRO SERIAL SEMANAL "EL HOMBRE INVISIBLE" DEL ESCRITOR AMERICANO H. G. WELLS. EN LOS PRINCIPALES PAPELES RICARDO PALMEROLA, ADOLFO MARSILLACH Y CARMEN ILLESCAS.

OCURRIÓ EN LA MADRUGADA DEL DÍA DE PENTECOSTÉS. EL SEÑOR Y LA SEÑORA HALL SE LEVANTARON...

...DE QUE HABÍA OLVIDADO TRAER UNA BOTELLA DE ZARZAPARRILLA DE LA HABITACIÓN...

161

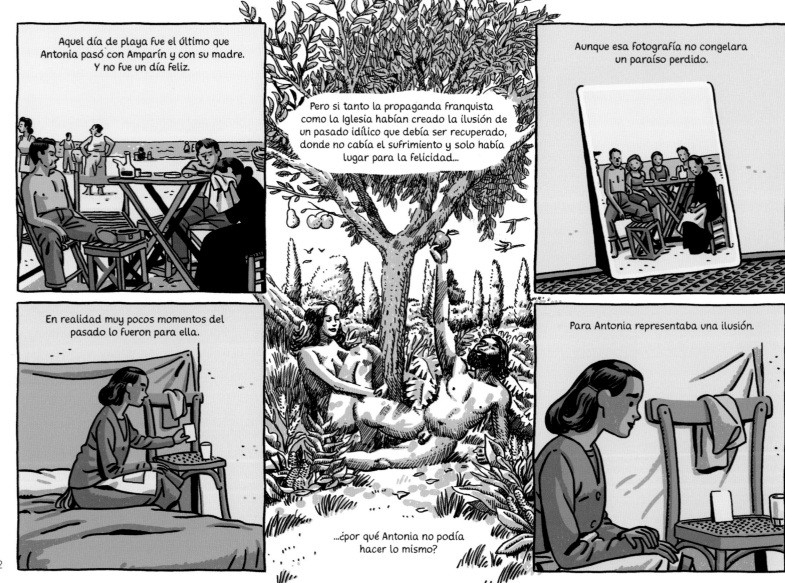

Aquel día de playa fue el último que Antonia pasó con Amparín y con su madre. Y no fue un día feliz.

Pero si tanto la propaganda franquista como la Iglesia habían creado la ilusión de un pasado idílico que debía ser recuperado, donde no cabía el sufrimiento y solo había lugar para la felicidad...

Aunque esa fotografía no congelara un paraíso perdido.

En realidad muy pocos momentos del pasado lo fueron para ella.

...¿por qué Antonia no podía hacer lo mismo?

Para Antonia representaba una ilusión.

Antonia creó en ella su propio Edén.

Y tuvo la esperanza de que algún día, en el breve destello de su vida...

...ese falso pasado sería una realidad.

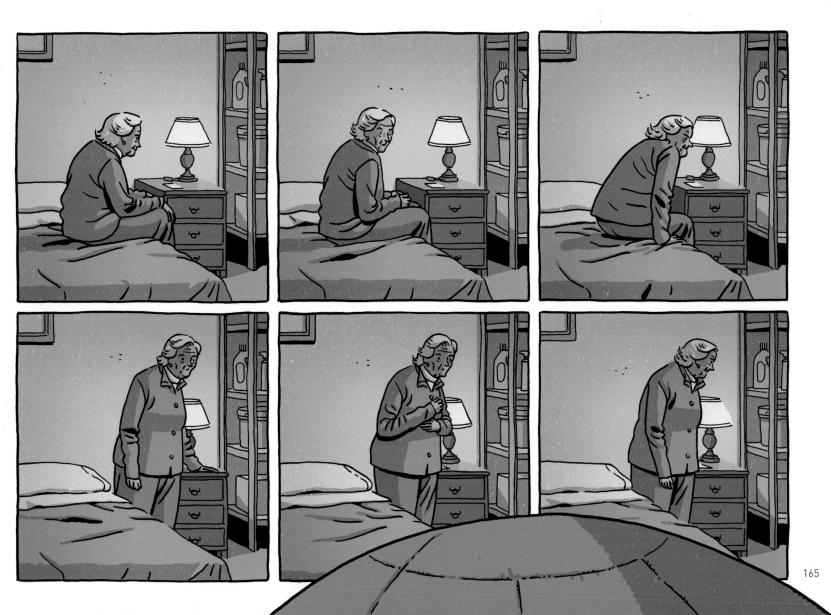

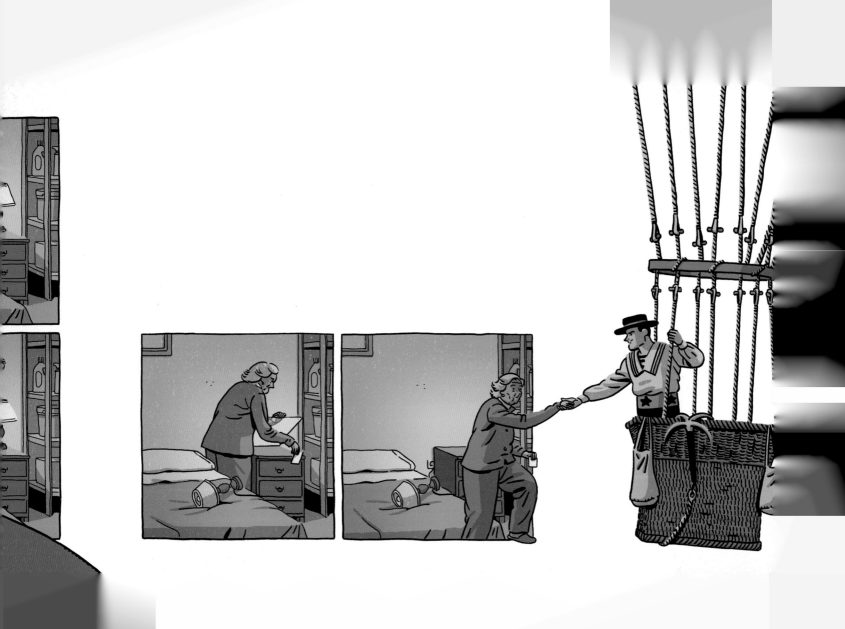

Gracias a Antonia, Carmen, Lolín, Amparín, Manolo, Toni y Pepe; a Aitana Palop, Aleix García, César Silvestre, Marta Marín y Carla Matas; a José Azkarraga, Gutmaro Gómez, Robert Coale, Antonio Laguna y al Museu Valencià d'Etnologia; a Mon, Boke, Lucky y Pablo Rebaque; a Astiberri; y a Raquel, Sabina y Melisa.

Regreso al Edén

Diseño: Paco Roca / Alba Diethelm
Maquetación: Alba Diethelm

ISBN: 978-84-18215-20-9
Depósito legal: BI-1979-20
Impresión: Edelvives
1.ª edición: diciembre 2020
2.ª edición: enero 2021

Astiberri Ediciones
Apdo. 485
48080 Bilbao
info@astiberri.com
www.astiberri.com

Certificado PEFC
Este producto procede de bosques gestionados de forma sostenible y fuentes controladas
PEFC/14-38-00260   www.pefc.es